Pip y Pengwin Bach

I bob breuddwydiwr bach ym mha le bynnag y bo

Darluniau gan Lindsey Sagar
Yn seiliedig ar ddarluniau gwreiddiol gan Jo Ryan

Cyhoeddwyd gan Rily Publications Ltd, Blwch Post 257, Caerffili CF83 9FL

Addasiad Cymraeg gan Aneirin Karadog

ISBN 978-1-84967-021-0

Cyhoeddwyd yn wreiddiol yn Saesneg yn 2016 dan y teitl *Pip the Little Penguin* gan Priddy Books

Cyhoeddwyd y testun yn wreiddiol yn 2006 dan y teitl *Rainbow Rob*

Argraffwyd yn China.

Credit lluniau iStockPhoto: Aurora Borealis © Nikolay Pandev; Dail Lili © cyoginan; Ffa pob © craigratcliffe; Un ffeuen bob © Chris Elwell; Candi-fflos © Darren Mower; Côn pin © ivstiv; Coffi © Vinicus Ramalh Tupinamb; Popcorn © Coldimages; Tywysennau gwenith © gilas; Tywod © Milberra; Tatws stwnsh © travellinglight; Pêl-droed © Anthia Cumming; Brwsh gwallt © alenkadr.

rily.co.uk

Pip y Pengwin Bach

Roger Priddy

Addasiad Aneirin Karadog

Mae Pip yn wyn ac mae Pip yn ddu,
yn bengwin bach hyfryd a dau liw i'w blu.
Ond holi wna Pip, holi o hyd,
"Oes lliwiau eraill i'w cael yn y byd?"

Yna, un diwrnod …

Fe syllodd Pip ar gawod o liwiau,
a gwelodd brydferthwch uwchben y cymylau.
"Os oes coch, gwyrdd a glas fyny fry ...

ai pengwin bach lliwgar, ryw ddydd, fydda i?"

“Rwyf am fod yn **las** fel morfil mawr –
y morfil glas, mawr â’r cynffon cawr.”

"Pip, nid wyt ti'n fawr
na glas, annwyl bengwin.
Rwyt yn wyn ac yn ddu,
a bach fel y cregyn."

"Yna, hoffwn fod yn **wyrdd**, fel crocodeil clên,
crocodeil clên â sawl dant yn ei wên."

"Ond nid crocodeil wyt ti, annwyl bengwin.
Rwyt ti'n ddu ac yn wyn,
ac yn hoff iawn o chwerthin!"

"Yna ga' i fod yn **goch** –
coch fel cadno,
a chynffon dwster,
a sanau du amdano?"

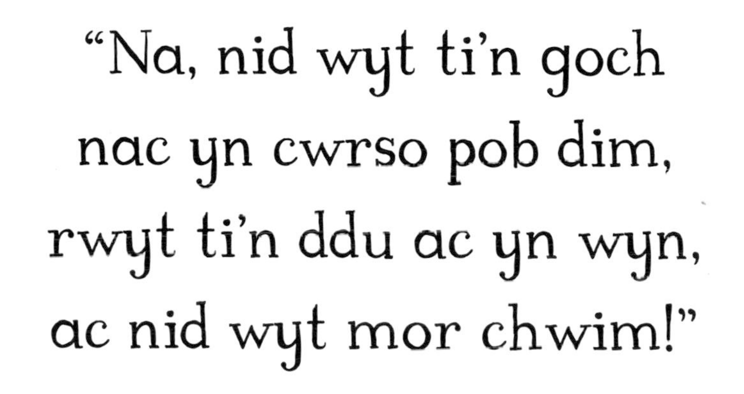

"Na, nid wyt ti'n goch
nac yn cwrso pob dim,
rwyt ti'n ddu ac yn wyn,
ac nid wyt mor chwim!"

"Yna, hoffwn fod yn **oren**
fel orangwtan blewog,
yn hongian ar gangen,
yn oren a bywiog!"

"Ond ni all pengwin fyw ar ganghennau.
Rwyt ti'n ddu ac yn wyn, ac yn byw ger y tonnau!"

"Ga i fod yn **borffor** fel pilipala'r ardd,
a hedfan gyda'r adar yn yr awyr mor hardd?"

"Ni all un pengwin hedfan fry,
rwyt ti'n caru'r eira ac yn wyn a du ..."

"Yna, dwi am fod yn **binc**,
fel y mochyn hwn –
gyda chwrlen o gwt a bol mawr crwn."

"Ond nid wyt ti'n binc nac yn hoff o laid,
rwyt ti'n ddu a gwyn a fflat yw dy draed."

"Ga i fod yn **frown** fel arth fawr flin
yn crwydro ben ei hun, rhwng y coed pîn?"

“Pip, rwyt ti’n ddu a gwyn
ac mae dy ben yn y sêr –
rwyt ti mor ffyrnig â thedi bêr.”

"Wel rwyf am fod yn frenin glew
a chael mwng mawr **melyn** - caf fod yn llew."

"Ond Pip, nid oes mwng fel haul ar dy gefn.
Rwyt ti'n bengwin gwyn a du – a dyna'r drefn."

"Dyma Drewgi, Sebra a Panda! Ac mae'r tri yn ddu ac yn wyn, yn union fel ti!"

"Beth sy'n bod ar ddu a gwyn?
Ry'n ni'n caru'r lliwiau hyn!"

"Rwy'n deall o'r diwedd!" meddai'n Pip bach ni,
"Rwy'n berffaith fel ydw i, gan taw fi yw y fi!"

Mae'r llyfr hwn yn rhan o'r rhaglen Pori Drwy Stori.
Nod Pori Drwy Stori yw ysbrydoli cariad at lyfrau, straeon a rhigymau a chefnogi plant oedran Derbyn i ddatblygu sgiliau rhifedd. Drwy Pori Drwy Stori mae BookTrust Cymru yn darparu adnoddau rhifedd a llythrennedd rhad ac am ddim i ysgolion i'w defnyddio pob tymor yn y dosbarth a'r cartref. Crëwyd yr adnoddau yn arbennig i gefnogi rhieni/gwarchodwyr i'w galluogi i gymryd rhan yn addysg eu plentyn.

Mae'r adnoddau'n cefnogi'r Cyfnod Sylfaen a'r Fframwaith Llythrennedd a Rhifedd.

Caiff Pori Drwy Stori ei ddarparu gan BookTrust Cymru a'i ariannu gan Lywodraeth Cymru.

This book is part of the Pori Drwy Stori programme.
Pori Drwy Stori inspires a love of books, stories and rhymes and supports Reception-aged children to develop numeracy skills. Through Pori Drwy Stori, BookTrust Cymru supplies free literacy and numeracy resources to schools each term to be used in class and at home. The resources are especially designed to support parents/carers to play an active role in their child's education.

The resources support the Foundation Phase and the Literacy and Numeracy Framework.

Pori Drwy Stori is delivered by BookTrust Cymru and funded by the Welsh Government.

poridrwystori.org.uk